I LOVE BEING ME

A Mindful Book of Affirmations for Children

Written by
Angel G.T. Taylor

Illustrated by
Yorris Handoko

I LOVE BEING ME
Copyright © 2021 Angel G.T. Taylor

Illustrated by: Yorris Handoko

For permission requests, write to the
publisher at:
angel.gabrielle555@gmail.com

ISBN: 978-0-578-95940-5 (Paperback)

Printed in the U.S.A.

To Mom and Dad, thank you
for always believing in me and
supporting my dreams no matter how
big or small.

I am kind

I am brave

Jacinta Powers

Girl Power

I am strong

I am bright

I am creative

I am curious

I am love

and I am light

I am smart

I am amazing

I am warm

I am fun

I am free

I am thankful

I am dazzling

like the sun

I am fierce

I am active

I am magical

Likes:
- 😄 Dancing
- 😄 Singing
- 😄 Playing with my dog

Dislikes:
- ☹️ Scary Movies
- ☹️ Rainy Days
- ☹️ Feeling Sick

Aspirations:
Doctor, Teacher, President

I'm afraid of... SPIDERS!

I am unique

I am worthy

I am true

I am happy

as can be

I am helpful

I am bold

I am big

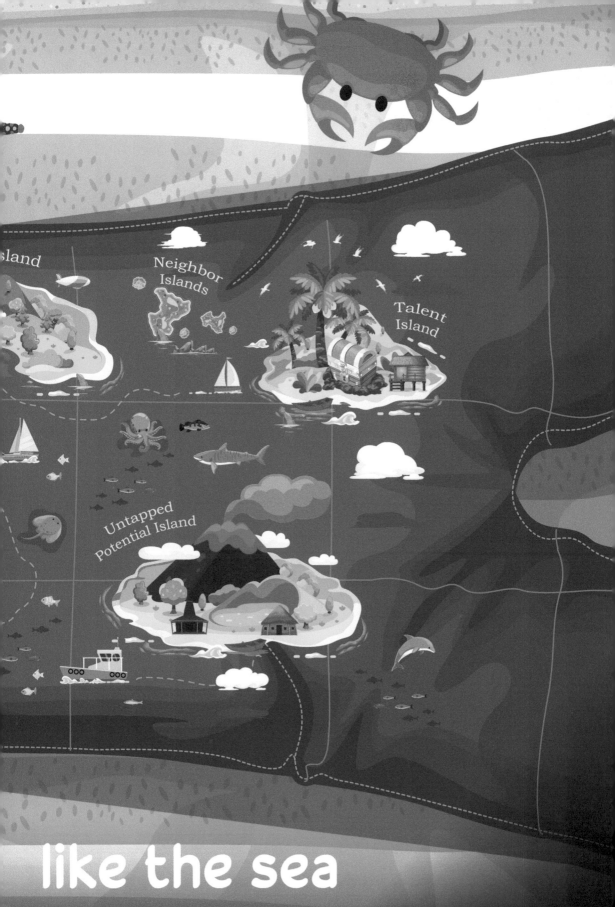

like the sea

I am everything

and more

I love

being me

CPSIA information can be obtained
at www.ICGtesting.com
Printed in the USA
LVHW070123300821
696428LV00002B/6